Gregório de Matos

Poemas Escolhidos

GREGÓRIO DE MATOS

POEMAS ESCOLHIDOS

QUESTÕES DE VESTIBULAR
COMENTADAS

Principis

Esta é uma publicação Principis, selo exclusivo da Ciranda Cultural

Texto: Gregório de Matos
Revisão: Project Nine Editorial
Diagramação: Project Nine Editorial
Capa: Ciranda Cultural
Imagens: Shutterstock

Complemento de leitura elaborado por Fernanda Ferreira,
doutora pelo Programa de Estudos Linguísticos, Tradutológicos e Literários em Francês

FFLCH – DLM – USP.

Dados Internacionais de Catalogação na Publicação (CIP) de acordo com ISBD

M433p Matos, Gregório de, 1636 -1696

Poemas Escolhidos / Gregório de Matos. - Jandira, SP : Ciranda Cultural, 2019.
80 p. ; 16cm x 23cm. – (Clássicos da literatura)

Inclui índice.
ISBN: 978-85-943-1864-0

1. Literatura brasileira. 2. Poesia. I. Título. II. Série.

CDD 869.81
2019-829 CDU 821.134.3(81)-1

Elaborado por Odilio Hilario Moreira Junior - CRB-8/9949

Índice para catálogo sistemático:
1. Literatura brasileira : Poesia 869.1
2. Literatura brasileira : Poesia 821.134.3(81)-1

1ª Edição em 2019
www.cirandacultural.com.br

SUMÁRIO

Complement o de leitura

A UMAS SAUDADES (257)

Parti, coração, parti,
navegai sem vos deter,
ide-vos, minhas saudades
a meu amor socorrer.

Em o mar do meu tormento
em que padecer me vejo
já que amante me desejo
navegue o meu pensamento:
meus suspiros, formai vento,
com que me façais ir ter
onde me apeteço ver;
e diga minha alma assim:
Parti, coração, parti,
navegai sem vos deter.

Ide donde meu amor
apesar desta distância
não há perdido constância
nem demitido o rigor:

antes é tão superior
que a si se quer exceder,
e se não desfalecer
em tantas adversidades,
Ide-vos minhas saudades
a meu amor socorrer.

2º SONETO À MORTE DE AFONSO BARBOSA DA FRANCA (327)

Alma gentil, espírito generoso,
Que do corpo as prisões desamparaste,
E qual cândida flor em flor cortaste
De teus anos o pâmpano viçoso.

Hoje, que o sólio habitas luminoso,
Hoje, que ao trono eterno te exaltaste,
Lembra-te daquele amigo a quem deixaste
Triste, absorto, confuso, e saudoso.

Tanto tua virtude ao céu subiste,
Que teve o céu cobiça de gozar-te,
Que teve a morte inveja de vencer-te.

Venceste o foro humano em que caíste,
Goza-te o céu não só por premiar-te,
Senão por dar-me a mágoa de perder-te.

1º SONETO À MARIA DOS POVOS (319)

Discreta e formosíssima Maria,
Enquanto estamos vendo a qualquer hora
Em tuas faces a rosada Aurora,
Em teus olhos e boca o Sol e o dia,

Enquanto com gentil descortesia
O ar, que fresco Adônis te namora,
Te espalha a rica trança voadora
Quando vem passear-te pela fria,

Goza, goza da flor da mocidade,
Que o tempo trata a toda ligeireza,
E imprime em toda a flor sua pisada.

Oh não aguardes, que a madura idade,
Te converta essa flor, essa beleza,
Em terra, em cinza, em pó, em sombra, em nada.

INCONSTÂNCIA DOS BENS DO MUNDO (317)

Nasce o Sol, e não dura mais que um dia,
Depois da Luz se segue a noite escura,
Em tristes sombras morre a formosura,
Em contínuas tristezas a alegria.

Porém, se acaba o Sol, por que nascia?
Se é tão formosa a Luz, por que não dura?
Como a beleza assim se transfigura?
Como o gosto da pena assim se fia?

Mas no Sol, e na Luz falte a firmeza,
Na formosura não se dê constância,
E na alegria sinta-se tristeza.

Começa o mundo enfim pela ignorância,
E tem qualquer dos bens por natureza
A firmeza somente na inconstância.

CONFUSÃO DO FESTEJO DO ENTRUDO

Filhós, fatias, sonhos, mal-assadas,
Galinhas, porco, vaca, e mais carneiro,
Os perus em poder do pasteleiro,
Esguichar, deitar pulhas, laranjadas;

Enfarinhar, pôr rabos, dar risadas,
Gastar para comer muito dinheiro,
Não ter mãos a medir o taverneiro,
Com réstias de cebolas dar pancadas;

Das janelas com tanhos dar nas gentes,
A buzina tanger, quebrar panelas,
Querer em um só dia comer tudo;

Não perdoar arroz, nem cuscuz quente,
Despejar pratos, e a limpar tigelas:
Estas as festas são do Santo Entrudo.

DESCREVE A VIDA ESCOLÁSTICA (161)

Mancebo sem dinheiro, bom barrete
Medíocre o vestido, bom sapato
Meias velhas, calção de esfola-gato
Cabelo penteado, bom topete;

Presumir de dançar, cantar falsete,
Jogo de fidalguia, bom barato,
Tirar falsídia ao moço do seu trato,
Furtar a carne à ama, que promete;

A putinha aldeã achada em feira,
Eterno murmurar de alheias famas,
Soneto infame, sátira elegante;

Cartinhas de trocado para a freira,
Comer boi, ser Quixote com as damas,
Pouco estudo: isto é ser estudante.

DESAIRES DA FORMOSURA (274)

Rubi, concha de perlas peregrina,
Animado cristal, viva escarlata,
Duas safiras sobre lisa prata,
Ouro encrespado sobre prata fina.

Este o rostinho é de Caterina;
E porque docemente obriga e mata,
Não livra o ser divina em ser ingrata
E raio a raio os corações fulmina.

Viu Fábio uma tarde transportado
Bebendo admirações, e galhardias
A quem já tanto amor levantou aras:

Disse igualmente amante e magoado:
Ah muchacha gentil, que tal serias
Se sendo tão formosa não cagaras!

A UMA QUE LHE CHAMOU "PICA-FLOR" (261)

Se Pica-flor me chamais
Pica-flor aceito ser
mas resta agora saber
se no nome que me dais
meteis a flor que guardais
no passarinho melhor.
Se me dais este favor
sendo só de mim o Pica
e o mais vosso, claro fica
que fico então Pica-flor.

AOS CARAMURUS DA BAHIA (102)

Um calção de pindoba à meia zorra
Camisa de urucu, mantéu de arara,
Em lugar de cotó arco e taquara
Penacho de guarás em vez de gorra.

Furado o beiço, e sem temor que morra
O pai, que lho envasou cuma titara
Porém a Mãe a pedra lhe aplicara
Por reprimir-lhe o sangue que não corra.

Alarve sem razão, bruto sem fé,
Sem mais leis que a do gosto, quando erra
De Paiaiá tornou-se em abaité.

Não sei onde acabou, ou em que guerra:
Só sei que deste Adão de Massapé
Procedem os fidalgos desta terra.

(AO MESMO ASSUNTO)

Um paiá de Monai, bonzo bramá
Primaz da cafraria do Pegu,
Quem sem ser do Pequim, por ser do Acu,
Quer ser filho do sol, nascendo cá.

Tenha embora um avô nascido lá,
Cá tem três pela costa do Cairu,
E o principal se diz Paraguaçu,
Descendente este tal de um Guinamá.

Que é fidalgo nos ossos cremos nós,
Pois nisso consistia o mor brasão
Daqueles que comiam seus avós.

E como isto lhe vem por geração,
Tem tomado por timbre em seus teirós
Morder nos que provêm de outra nação.

DEFINE A SUA CIDADE (94)

De dous ff se compõe
esta cidade a meu ver,
um furtar, outro foder.
Recopilou-se o direito,
e quem o recopilou
com dous ff o explicou
por estar feito e bem-feito:
por bem digesto e colheito,
só com dous ff o expõe,
e assim quem os olhos põe
no trato, que aqui se encerra,
há de dizer que esta terra
De dous ff se compõe.
Se de dous ff composta
está a nossa Bahia,
errada a ortografia
a grande dano está posta:
eu quero fazer aposta,
e quero um tostão perder,
que isso a há de perverter,

se o furtar e o foder bem
não são os ff que tem
Esta cidade a meu ver.
Provo a conjetura já
prontamente com um brinco:
Bahia tem letras cinco
que são BAHIA,
logo ninguém me dirá
que dous ff chega a ter
pois nenhum contém sequer,
salvo se em boa verdade
são os ff da cidade
um furtar, outro foder.

AS COUSAS DO MUNDO (42)

Neste mundo é mais rico o que mais rapa:
Quem mais limpo se faz, tem mais carepa;
Com sua língua, ao nobre o vil decepa:
O velhaco maior sempre tem capa.

Mostra o patife da nobreza o mapa:
Quem tem mão de agarrar, ligeiro trepa;
Quem menos falar pode, mais increpa:
Quem dinheiro tiver, pode ser Papa.

A flor baixa se inculca por tulipa;
Bengala hoje na mão, ontem garlopa,
Mais isento se mostra o que mais chupa.

Para a tropa do trapo vazo a tripa
E mais não digo, porque a Musa topa
Em apa, epa, ipa, opa, upa.

À CIDADE DA BAHIA

Triste Bahia! Ó quão dessemelhante
Estás e estou do nosso antigo estado!
Pobre te vejo a ti, tu a mi empenhado,
Rica te vi eu já, tu a mi abundante.

A ti trocou-te a máquina mercante,
Que em tua larga barra tem entrado,
A mim foi-me trocando, e tem trocado,
Tanto negócio e tanto negociante.

Deste em dar tanto açúcar excelente
Pelas drogas inúteis, que abelhuda
Simples aceitas do sagaz Brichote.

Oh se quisera Deus, que de repente
Um dia amanheceras tão sisuda
Que fora de algodão o teu capote!

À CIDADE DA BAHIA (41)

A cada canto um grande conselheiro,
Que nos quer governar cabana e vinha;
Não sabem governar sua cozinha
E podem governar o mundo inteiro.

Em cada porta um bem frequente olheiro,
Que a vida do vizinho e da vizinha
Pesquisa, escuta, espreita e esquadrinha,
Para o levar à praça e ao terreiro.
Muitos mulatos desavergonhados,
Trazidos sob os pés os homens nobres,
Posta nas palmas toda a picardia,

Estupendas usuras nos mercados,
Todos os que não furtam muito pobres:
E eis aqui a cidade da Bahia.

JUÍZO ANATÔMICO DA BAHIA (37)

Que falta nesta cidade? –Verdade.
Que mais por sua desonra? – Honra.
Falta mais que se lhe ponha? – Vergonha.
O demo a viver se exponha,
Por mais que a fama a exalta,
Numa cidade onde falta
Verdade, honra, vergonha.
Quem a pôs neste socrócio? – Negócio.
Quem causa tal perdição? – Ambição.
E o maior desta loucura? – Usura.
Notável desaventura
De um povo néscio e sandeu,
Que não sabe que o perdeu
Negócio, ambição, usura.
Quais são seus doces objetos? – Pretos.
Tem outros bens mais maciços? – Mestiços.
Quais destes lhe são mais gratos? – Mulatos.
Dou ao demo os insensatos,
Dou ao demo a gente asnal,
Que estima por cabedal

Pretos, mestiços, mulatos.
Quem faz os círios mesquinhos? – Meirinhos.
Quem faz as farinhas tardas? – Guardas.
Quem as tem nos aposentos? – Sargentos.
Os círios lá vêm aos centos,
E a terra fica esfaimando,
Porque os vão atravessando
Meirinhos, guardas, sargentos.
E que justiça a resguarda? – Bastarda.
É grátis distribuída? – Vendida.
Que tem, que a todos assusta? – Injusta.
Valha-nos Deus, o que custa que
El-Rei nos dá de graça
Que anda a justiça na praça
Bastarda, vendida, injusta.
Que vai pela clerezia? – Simonia.
E pelos membros da Igreja? – Inveja.
Cuidei que mais se lhe punha? – Unha.
Sazonada caramunha
Enfim, que na Santa Sé
O que mais se pratica é
Simonia, inveja, unha.
E nos Frades há manqueiras? – Freiras.
Em que ocupam os serões? – Sermões.
Não se ocupam em disputas? – Putas.
Com palavras dissolutas
Me concluís, na verdade,
Que as lidas todas de um Frade
São freiras, sermões, e putas.

O açúcar já se acabou? – Baixou.
E o dinheiro se extinguiu? – Subiu.
Logo já convalesceu? – Morreu.
A Bahia aconteceu
O que a um doente acontece,
Cai na cama, o mal lhe cresce,
Baixou, subiu, e morreu.
A Câmara não acode? – Não pode.
Pois não tem todo o poder? – Não quer.
É que o governo a convence? – Não vence.
Quem haverá que tal pense,
Que uma Câmara tão nobre,
Por ver-se mísera e pobre,
Não pode, não quer, não vence.

AOS VÍCIOS (186)

Eu sou aquele que os passados anos
Cantei na minha lira maldizente
Torpezas do Brasil, vícios e enganos.
E bem que os descantei bastantemente,
Canto segunda vez na mesma lira
O mesmo assunto em plectro diferente.
Já sinto que me inflama e que me inspira
Talia, que anjo é da minha guarda
Dês que Apolo mandou que me assistira.
Arda Baiona e todo o mundo arda
Que a quem de profissão falta à verdade
Nunca a dominga das verdades tarda.
Nenhum tempo excetua a cristandade
Ao pobre pegureiro do Parnaso
Para falar em sua liberdade.
A narração há de igualar ao caso
E se talvez acaso o não iguala
Não tenho por poeta o que é Pegaso.
De que pode servir calar quem cala?
Nunca se há de falar o que se sente

Sempre se há de sentir o que se fala.
Qual homem pode haver tão paciente,
Que, vendo o triste estado da Bahia
Não chore, não suspire e não lamente?
Isto faz a discreta fantasia:
Discorre em um e outro desconcerto
Condena o roubo, increpa a hipocrisia.
O néscio, o ignorante, o inexperto
Que não elege o bom, nem mau reprova
Por tudo passa deslumbrado e incerto.
E quando vê talvez na doce trova
Louvado o bem e o mal vituperado
A tudo faz focinho, e nada aprova.
Diz logo prudentaço e repousado:
– Fulano é um satírico, é um louco,
De língua má, de coração danado.
Néscio, se disso entendes nada ou pouco,
Como mofas com riso e algazarras
Musas, que estimo ter, quando as invoco.
Se souberas falar, também falaras
Também satirizaras, se souberas
E se foras poeta, poetizaras.
A ignorância dos homens destas eras
Sisudos faz ser uns, outros prudentes,
Que a mudez canoniza bestas-feras.
Há bons, por não poder ser insolentes,
Outros há comedidos de medrosos,
Não mordem outros não – por não ter dentes.
Quantos há que os telhados têm vidrosos,

E deixam de atirar sua pedrada,
De sua mesma telha receosos?
Uma só natureza nos foi dada
Não criou Deus os naturais diversos;
Um só Adão criou e esse de nada.
Todos somos ruins, todos perversos,
Só nos distingue o vício e a virtude,
De que uns são comensais, outros adversos
Quem maior a tiver do que eu ter pude,
Esse só me censure, esse me note,
Calem-se os mais chitom, e haja saúde.

SONETO

A cada canto um grande conselheiro,
Que nos quer governar cabana, e vinha,
Não sabem governar sua cozinha,
E podem governar o mundo inteiro.

Em cada porta um frequentado olheiro,
Que a vida do vizinho, e da vizinha
Pesquisa, escuta, espreita, e esquadrinha,
Para a levar à Praça, e ao Terreiro.

Muitos Mulatos desavergonhados,
Trazidos pelos pés os homens nobres,
Posta nas palmas toda a picardia.

Estupendas usuras nos mercados,
Todos, os que não furtam, muito pobres,
E eis aqui a cidade da Bahia.

EPÍLOGOS

Que falta nesta cidade.................. Verdade.
Que mais por sua desonra .... Honra.
Falta mais que se lhe ponha .... Vergonha.

O demo a viver se exponha,
por mais que a fama a exalta,
numa cidade, onde falta
Verdade, Honra, Vergonha.

Quem a pôs neste socrócio? .... Negócio.
Quem causa tal perdição? .... Ambição.
E o maior desta loucura?............. Usura.

Notável desaventura
de um povo néscio, e sandeu,
que não sabe, que o perdeu
Negócio, Ambição, Usura.

Quais são os seus doces objetos?... Pretos.
Tem outros bens mais maciços? ... Mestiços.
Quais destes lhe são mais gratos?.. Mulatos.

Dou ao demo os insensatos,
dou ao demo a gente asnal,
que estima por cabedal
Pretos, Mestiços, Mulatos.

Quem faz os círios mesquinhos? .. Meirinhos.
Quem faz as farinhas tardas? .... Guardas.
Quem as tem nos aposentos? .... Sargentos.

Os círios lá vêm aos centos,
e a terra fica esfaimando,
porque os vão atravessando
Meirinhos, Guardas, Sargentos.

E que justiça a resguarda?............ Bastarda.
É grátis distribuída? .... Vendida.
Que tem, que a todos assusta?...... Injusta.

Valha-nos Deus, o que custa
o que El-Rei nos dá de graça,
que anda a justiça na praça
Bastarda, Vendida, Injusta.

Que vai pela clerezia? .... Simonia.
E pelos membros da Igreja?.......... Inveja.
Cuidei, que mais se lhe punha? .... Unha.

Sazonada caramunha!
Enfim que na Santa Sé

o que se pratica, é
Simonia, Inveja, Unha.

E nos Frades há manqueiras?........Freiras.
Em que ocupam os serões?...........Sermões.
Não se ocupam em disputas? ....Putas.

Com palavras dissolutas
me concluis na verdade,
que as lidas todas de um Frade
são Freiras, Sermões, e Putas.

O açúcar já se acabou? ....Baixou.
E o dinheiro se extinguiu?............Subiu.
Logo já convalesceu?...................Morreu.

À Bahia aconteceu
o que a um doente acontece,
cai na cama, o mal lhe cresce,
Baixou, Subiu, e Morreu.

A Câmara não acode?..................Não pode.
Pois não tem todo o poder?..........Não quer.
É que o governo a convence?........Não vence.

Quem haverá que tal pense,
que uma Câmara tão nobre
por ver-se mísera, e pobre
Não pode, não quer, não vence.

MOTE

De dous ff se compõe
esta cidade a meu ver
um furtar, outro foder.

GLOSA

Recopilou-se o direito,
e quem o recopilou
com dous ff o explicou
por estar feito, e bem-feito:
por bem Digesto, e Colheito
só com dous ff o expõe,
e assim quem os olhos põe
no trato, que aqui se encerra,
há de dizer, que esta terra
De dous ff se compõe.

Se de dous ff composta
está a nossa Bahia,
errada a ortografia
a grande dano está posta:
eu quero fazer aposta,
e quero um tostão perder,
que isso a há de preverter,
se o furtar e o foder bem
não são os ff que tem
Esta cidade a meu ver.

Provo a conjetura já

prontamente como um brinco;
Bahia tem letras cinco
que são BAHIA:
logo ninguém me dirá
que dous ff chega a ter,
pois nenhum contém sequer,
salvo se em boa verdade
são os ff da cidade
um furtar, outro foder.

SONETO

Triste Bahiá! oh quão dessemelhante
Estás, e estou do nosso antigo estado!
Pobre te vejo a ti, tu a mi empenhado,
Rica te vejo eu já, tu a mi abundante.

A ti trocou-te a máquina mercante,
Que em tua larga barra tem entrado,
A mim foi-me trocando, e tem trocado
Tanto negócio, e tanto negociante.

Deste em dar tanto açúcar excelente
Pelas drogas inúteis, que abelhuda
Simples aceitas do sagaz Brichote.'

Oh se quisera Deus, que de repente
Um dia amanheceras tão sisuda
Que fora de algodão o teu capote!

À BAHIA

Tristes sucessos, casos lastimosos,
Desgraças nunca vistas, nem faladas,
São, ó Haia! vésperas choradas
De outros que estão por vir mais estranhosos:

Sentimo-nos confusos, e teimosos,
Pois não damos remédio às já passadas,

Nem prevemos tampouco as esperadas,
Como que estamos delas desejosos.

Levou-vos o dinheiro a má fortuna,
Ficamos sem tostão, real nem branca,
Macutas, correão, novelos, molhos:

Ninguém vê, ninguém fala, nem impugna,
E é que, quem o dinheiro nos arranca,
Nos arranca as mãos, a língua, os olhos.

ROMANCE

Senhora Dona Bahia,
nobre e opulenta cidade,
madrasta dos Naturais,
e dos Estrangeiros madre.
Dizei-me por vida vossa,
em que fundais o ditame
de exaltar os que aí vêm,
e abater os que ali nascem?
Se o fazeis pelo interesse,
de que os estranhos vos gabem,
isso os Paisanos fariam
com duplicadas vantagens.
E suposto que os louvores
em boca própria não cabem,
se tem força esta sentença,
mor força terá a verdade.
O certo é, Pátria minha,
que fostes terra de alarves,
e inda os ressábios vos duram
desse tempo, e dessa idade.
Haverá duzentos anos,

(nem tantos podem contar-se)
que éreis uma aldeia pobre,
e hoje sois rica cidade.
Então vos pisavam Índios,
e vos habitavam cafres,
hoje chispais fidalguias,
arrojando personagens.
A essas personagens vamos,
sobre elas será o debate,
e queira Deus, que o vencer-vos
para envergonhar-vos baste.
Sai um pobrete de Cristo
de Portugal, ou do Algarve
cheio de drogas alheias
para daí tirar gages:
O tal foi sota-tendeiro
de um cristão-novo em tal parte,
que por aqueles serviços
o despachou a embarcar-se.
Fez-lhe uma carregação
entre amigos, e compadres:
e ei-lo comissário feito
de linhas, lonas, beirames.
Entra pela barra dentro,
dá fundo, e logo a entornar-se
começa a bordo da Nau
cum vestidinho flamante.
Salta em terra, toma casas,
arma a botica dos trastes,
em casa come Baleia,

na rua entoja manjares.
Vendendo gato por lebre,
antes que quatro anos passem,
já tem tantos mil cruzados,
segundo afirmam Pasguates.
Começam a olhar para ele
os Pais, que já querem dar-lhe
Filha, e dote, porque querem
homem, que coma, e não gaste.
Que esse mal há nos mazombos,
têm tão pouca habilidade,
que o seu dinheiro despendem
para haver de sustentar-se.
Casa-se o meu matachim,"
põe duas Negras, e um Pajem,
uma rede com dous Minas,
chapéu-de-sol, casas-grandes.
Entra logo nos pilouros,
e sai do primeiro lance
Vereador da Bahia,
que é notável dignidade.
Já temos o Canastreiro,
que inda fede a seus beirames,
metamorfósis da terra
transformado em homem grande:
e eis aqui a personagem.
Vem outro do mesmo lote
tão pobre, e tão miserável
vende os retalhos, e tira
comissão com couro, e carne.

Co principal se levanta,
e tudo emprega no Iguape,
que um engenho, e três fazendas
tem feito homem grande;
e eis aqui a personagem.
Dentre a chusma e a canalha
da marítima bagagem
fica às vezes um cristão
que apenas benzer-se sabe:
Fica em terra resoluto
a entrar na ordem mercante,
troca por côvado, e vara
timão, balestilha, e mares.
Arma-lhe a tenda um ricaço,
que a terra chama Magnate
com pacto de parceria,
que em direito é sociedade:
Com isto a Marinheiras
do primeiro jacto, ou lance
bota fora o cu breado,
as mãos dissimula em guantes.
Vende o cabedal alheio,
e dá com ele em Levante,
vai, e vem, e ao dar das contas
diminui, e não reparte.
Prende aqui, prende acolá,
nunca falta um bom Compadre,
que entretenha o credor,
ou faça esperar o Alcaide.
Passa um ano, e outro ano,

esperando, que ele pague,
que uns lhe dão, para que junte,
e outros mais, para que engane.
Nunca paga, e sempre come,
e quer o triste Mascate,
que em fazer a sua estrela
o tenham por homem grande.
O que ele fez, foi furtar,
que isso faz qualquer bribante,
tudo o mais lhe fez a terra
sempre propícia aos infames
e eis aqui a personagem.
Vem um Clérigo idiota,
desmaiado com um jalde,
os vícios com seu bioco,
com seu rebuço as maldades:
Mais Santo do que Mafoma
na crença dos seus Arabes,
Letrado como um Matulo,
e velhaco como um Frade;
ontem simples sacerdote,
hoje uma grã dignidade,
ontem salvage notório,
hoje encoberto ignorante.
Ao tal Beato fingido
é força, que o povo aclame,
e os do governo se obriguem,
pois edifica a cidade.
Chovem uns, e chovem outros
com ofícios, e lugares,

e o Beato tudo apanha
por sua muita humildade.
Cresce em dinheiro, e respeito,
vai remetendo as fundagens,
compra toda a sua terra,
com que fica homem grande,
e eis aqui a personagem.
Vêm outros zotes de Réquiem,
que indo tomar o caráter
todo o Rcino inteiro cruzam
sobre a chanca viandante.
De uma província para outra
como Dromedários partem,
caminham como camelos,
e comem como selvagens:
Mariolas de missal,
lacaios missa-cantante
sacerdotes ao burlesco
ao sério ganhões de altares.
Chega um destes, toma amo,
que as capelas dos Magnates
são rendas, que Deus criou
para estes Orate fratres.
Fazem-lhe certo ordenado,
que é dinheiro na verdade,
que o Papa reserva sempre
das ceias, e dos jantares.
Não se gasta, antes se embolsa,
porque o Reverendo Padre
é do Santo Nicomedes

meritíssimo confrade;
e eis aqui a personagem.
Veem isto os Filhos da terra,
e entre tanta iniquidade
são tais, que nem inda tomam
licença para queixar-se.
Sempre veem, e sempre falam,
até que Deus lhes depare,
quem lhes faça de justiça
esta sátira à cidade.
Tão queimada, e destruída
te vejas, torpe cidade,
como Sodoma, e Gomorra
duas cidades infames.
Que eu zombo dos teus vizinhos,
sejam pequenos, ou grandes
gozos, que por natureza
nunca mordem, sempre latem.
Que eu espero entre Paulistas
na divina Majestade,
Que a ti São Marçal te queime,
e São Pedro assim me guarde.

DÉCIMAS

Toda a cidade derrota
esta fome universal,
uns dão a culpa total
à Câmara, outros à frota:
a frota tudo abarrota
dentro nos escotilhões
a carne, o peixe, os feijões,
e se a Câmara olha, e ri,
porque anda farta até aqui,
é cousa, que me não toca;
Ponto em boca.

Se dizem, que o Marinheiro
nos precede a toda a Lei,
porque é serviço d'El-Rei,
concedo, que está primeiro:
mas tenho por mais inteiro
o conselho, que reparte
com igual mão, igual arte
por todos, jantar, e ceia:
mas frota com tripa cheia,

e povo com pança oca!
Ponto em boca.

A fome me tem já mudo,
que é muda a boca esfaimada;
mas se a frota não traz nada,
por que razão leva tudo?
que o Povo por ser sisudo
largue o ouro, e largue a prata
a uma frota patarata,
que entrando co'a vela cheia,
o lastro que traz de areia,
por lastro de açúcar troca!
Ponto em boca.

Se quando vem para cá,
nenhum frete vem ganhar,
quando para lá tornar,
o mesmo não ganhará;
quem o açúcar lhe dá,
perde a caixa, e paga o frete,
porque o ano não promete
mais negócio, que perder
o frete, por se dever,
a caixa, porque se choca:
Ponto em boca.

Entretanto eu sem abrigo,
e o povo todo faminto
ele chora, e eu não minto,

se chorando vo-lo digo:
tem-me cortado o umbigo
este nosso General,
por isso de tanto mal
lhe não ponho alguma culpa;
mas se merece desculpa
o respeito, a que provoca,
Ponto em boca.

Com justiça pois me torno
à Câmara Nó Senhora,
que pois me trespassa agora,
agora leve o retorno:
praza a Deus, que o caldo morno
que a mim me fazem cear
da má vaca do jantar
por falta do bom pescado
lhe seja em cristéis lançado;
mas se a saúde lhes toca:
Ponto em boca.

DÉCIMAS

Uma cidade tão nobre,
uma gente tão honrada
veja-se um dia louvada
desde o mais rico ao mais pobre:
cada pessoa o seu cobre,
mas se o diabo me atiça,
que indo a fazer-lhe justiça,
algum saia a justiçar,
não me poderão negar,
que por direito, e por Lei
esta é a justiça, que manda El-Rei.

O Fidalgo de solar
se dá por envergonhado
de um tostão pedir prestado
para o ventre sustentar:
diz, que antes o quer furtar
por manter a negra honra,
que passar pela desonra,
de que lhe neguem talvez;
mas se o virdes nas galés

com honras de Vice-Rei,
esta é a justiça, que manda El-Rei.

A Donzela embiocada
mal trajada, e malcomida,
antes quer na sua vida
ter saia, que ser honrada:
à pública amancebada
por manter a negra honrinha,
e se lho sabe a vizinha,
e lho ouve a clerezia
dão com ela na enxovia,
e paga a pena da lei;
esta é a justiça, que manda El-Rei.

A casada com adorno,
e o Marido malvestido,
crede, que este tal Marido
penteia monho de corno:
se disser pelo contorno,
que se sofre a Fr. Tomás,
por manter a honra o faz,
esperai pela pancada,
que com carocha pintada
de Angola há de ser Visrei:
esta é a justiça, que manda El-Rei.

Os Letrados Peralvilhos
citando o mesmo Doutor
a fazer de Réu, o Autor

comem de ambos os carrilhos:
se diz pelos corrilhos
sua prevaricação,
a desculpa, que lhe dão,
é a honra de seus parentes,
e entonces os requerentes,
fogem desta infame grei:
esta é a justiça, que manda El-Rei.

O Clérigo julgador,
que as causas julga sem pejo,
não reparando, que eu vejo,
que erra a Lei, e erra o Doutor:
quando veem de Monsenhor
a Sentença Revogada
por saber, que foi comprada
pelo jimbo, ou pelo abraço,
responde o Juiz madraço,
minha honra é minha Lei:
esta é a justiça, que manda El-Rei.

O Mercador avarento,
quando a sua compra estende,
no que compra, e no que vende,
tira duzentos por cento:
não é ele tão jumento,
que não saiba, que em Lisboa
se lhe há de dar na gamboa;
mas comido já o dinheiro

diz, que a honra está primeiro,
e que honrado a toda Lei:
esta é a justiça, que manda El-Rei.

A viúva autorizada,
que não possui um vintém,
porque o Marido de bem
deixou a casa empenhada:
ali vai a fradalhada,
qual formiga em correição,
dizendo, que à casa vão
manter a honra da casa,
se a virdes arder em brasa,
que ardeu a honra entendeis:
esta é a justiça, que manda El-Rei.

O Adônis da manhã,
o Cupido em todo o dia,
que anda correndo a Coxia
com recadinhos da Irmã:
e se lhe cortam a lã,
diz, que anda naquele andar
por a honra conservar
bem tratado, e bem-vestido,
eu o verei tão despido,
que até as costas lhe verei;
esta é a justiça, que manda El-Rei.

Se virdes um Dom Abade

sobre o púlpito cioso,
não lhe chameis Religioso,
chamai-lhe embora de Frade:
e se o tal Paternidade
rouba as rendas do Convento
para acudir ao sustento
da puta, como da peita,
com que livra da suspeita
do Geral do Viso-Rei:
esta é a justiça, que manda El-Rei.

ROMANCE

Deste castigo fatal,
que outro não vemos, que iguale,
serei Mercúrio das penas,
e Coronista dos males.
Tome esta notícia a Fama,
para que voe, e não pare,
e com lamentáveis ecos
soe numa, e noutra parte.
Ano de mil, e seis centos
oitenta e seis, se contar-se
pode por admiração,
escutem os circunstantes.
Chegou a morte à Bahia,
não cuidando, que chegasse,
aqueles, que não temiam
seus golpes por singulares.
Representou-nos batalha
com rebuços no disfarce,
facilitando a peleja
para segurar o saque.
Mas tocando a degolar

levou tudo a ferro, e sangue
divertindo a medicina
com variar os achaques.
Fez estrago tão violento
em discretos, ignorantes,
em pobres, ricos, soberbos,

que nenhum pode queixar-se.
Ao discreto não valeram
seus conceitos elegantes,
nem ao néscio o ignorar,
que ofensas hão de pagar-se.
Ao rico não reparou
de seu poder a vantagem,
nem ao soberbo o temido,
nem ao pobre o humilhar-se.
Ao galante o ser vistoso,
nem ao polido o brilhante,
nem ao rústico descuidos,
de que a vida há de acabar-se.
E se algum quis de manhã
rosa brilhante ostentar-se,
chegava a morte, e se via
funesta pompa de tarde.
Emudeceu as folias,
trocou em lamento os bailes,
cobriu as galas de luto,
encheu de pranto os lugares.
Foi tudo castigo em todos
por esta, e aquela parte,
se aos pobres faltou remédio,
aos ricos sobraram males.
Para o sexo feminino
veio a morte de passagem,
deixando-lhe, no que via
exemplo para emendar-se.
Nos inocentes de culpa
foi a morte relevante,

que tanto a inocência livra,
quanto condena o culpável.
Pela caterva Etiópia
passou tocando rebate,
mas corpos, que pagam culpas,
não é bem, que à vida faltem.
Já se via pelas ruas
de porta em porta chegar-se
um devoto Teatino
intimando a confessar-se.
Quem para a morte deixara
negócio tão importante,
porque as lembranças da vida
negam da morte o lembrar-se.
Os campanários se ouviam
uma hora em outra dobrarem,
despertadores da morte,
porque aos vivos lhe lembrasse.
Fez abrir nos cemitérios
em um dia a cada instante
para receber de corpos,
o que tinham de lugares.
Foi tragédia lastimosa,
em que pode ponderar-se,
que a terra sobrando a muitos,
se viu ali, que faltasse.
Os que nela não cabiam,
quando vivos, hoje cabem
numa sepultura a três,
quero dizer a três pares.
Viam-se as enfermarias

de corpos tão abundantes,
que sobrava a diligência,
para que a todos chegassem.
O remédio para as vidas
era impossível achar-se,
porque o número crescia
cada minuto, e instante.
Titubeava Galeno
com a implicância dos males,
porque o tributo das vidas,
mandava Deus, que pagassem.
O Senhor Marquês das Minas,
que Deus muitos anos guarde,
zeloso como cristão,
liberal como Alexandre;
Preveniu para a saúde,
Para que em tudo acertasse,
dividirem-se os enfermos
por casas particulares.
Este zelo foi motivo,
de que todos por vontade
(digo os possantes) mostraram,
serem próximos amantes.
Havia um novo hospital,
onde se admirou notável
o zelo de uma Senhora
Dona Francisca de Sande:
Mostrando como enfermeira
o desvelo em toda a parte,
e administrando a mezinha,
a quem devia de dar-se.

Consolando a quem gemia,
animando os circunstantes,
tolerando o sentimento
de que assim não acertasse.
Não reparando nos gastos
da fazenda, que eram grandes,
porque só quis reparar
vidas, por mais importantes.
O Marquês como Senhor
quis em tudo avantajar-se,
abrindo para a pobreza
os tesouros da vontade.
Repartia pelos pobres
esmolas tão importantes,
que o seu zelo nos mostrava
querer, que nada faltasse.
Publicando geralmente,
que a ele os pobres chegassem,
porque ao remédio de todos
sua Excelência não falte.
Mas se estava Deus queixoso,
que muito passasse avante
este castigo de culpas,
mais que inclemência dos ares.
Finalmente que a Bahia
chegou a extremo tão grande,
que aos viventes parecia
querer o mundo acabar-se.
Punha a morte cerco às vidas
tão cruel, e exorbitante,
que em três meses sepultou

da Bahia a maior parte.
Ah Bahia! bem puderas
de hoje em diante emendar-te,
pois em ti assiste a causa
de Deus assim castigar-te.
Mostra-se Deus ofendido,
nós sem desculpa que dar-lhe;
emendemos nossos erros,
que Deus porá termo aos males.

SONETO

Por entre o Beberibe, e o Oceano
Em uma areia sáfia, e lagariça
Jaz o Recife povoação mestiça,
Que o Belga edificou ímpio tirano.

O Povo é pouco, e muito pouco urbano,
Que vive à mercê de uma linguiça,
Unha de velha insípida enfermiça,
E camarões de charco em todo o ano.

As Damas cortesãs, e por rasgadas
Olhas podridas, são, e pestilências,
Elas com purgações, nunca purgadas.

COMPLEMENTO DE LEITURA

SOBRE O AUTOR

Gregório de Matos Guerra (1633-1696) nasceu em Salvador, porém, como era comum à época, fez seus estudos em Coimbra, onde ficou até 1681.

Como autor barroco, escreveu conforme o estilo da época poemas que circulavam entre os leitores por meio de manuscritos. Porém, a primeira coletânea de poemas (que começou a ser publicada apenas no século XIX) foi contaminada, como não podia deixar de ser, pela ideia romântica de estilo do autor. Dessa forma, toda sua obra provavelmente não tenha sido escrita por Gregório, no entanto ele acabou se tornando a figura que ficou mais conhecida, em especial pelas confusões políticas e sociais em que se metia por conta de poemas satíricos. Também se tornou uma figura conhecida, conforme James Amado, organizador de uma das edições das obras completas de Gregório, porque, a certa altura de sua vida, recusou a batina oferecida pela Igreja, abandonou sua carreira de advogado e foi morar nos engenhos, no meio do povo, atuando como repentista e assumindo-se como um poeta popular.

Na Literatura Barroca, podemos definir dois estilos diferentes, marcados por distintas formas de conceber o conhecimento: o cultismo (saber descrever as coisas) e o conceptismo (buscar a essência das coisas). Ou seja, numa perspectiva cultista, o mundo é descrito por meio de sensações (o que se relaciona com a exploração das figuras de linguagem); já numa conceptista, o mundo é descrito e analisado por meio da razão, da inteligência (aqui, por sua vez, encontra-se a concisão, comparações explícitas). Quanto à produção atribuída a Gregório, tal qual grande parte dos poetas de seu tempo, ele possuía muita habilidade tanto para textos cultistas quanto conceptistas.

Sua obra pode ser dividida em satírica, lírica e sacra.

Poesia satírica:

Não é à toa que Gregório recebeu o apelido de Boca do Inferno. Como pôde presenciar mudanças profundas na estrutura da sociedade baiana, era inescrupuloso na crítica a qualquer segmento da sociedade, indo do povo às pessoas influentes e às autoridades.

Poesia lírica:

Gregório, em sua sátira, ligou-se ao cotidiano e à linguagem popular. Já em sua produção lírica e sacra aparece o domínio que se tem da linguagem do Barroco. Ademais, na lírica, surge o destaque à beleza da mulher amada, bem como a dicotomia barroca do amor espiritual em contraponto ao carnal, o desejo desenfreado e a culpa, a vontade e o pecado. Nesse jogo, surge o conflito que se materializa em antítese.

Poesia sacra:

O poeta, em sua produção sacra, apresenta a ideia recorrente barroca do pecado, do medo da morte e da condenação divina.

TEXTO E CONTEXTO

O Barroco, fruto do contexto da Contrarreforma e de uma visão maniqueísta do mundo, é marcado pelo exagero da expressão e pela tensão entre elementos opostos. No Brasil, a vida essencialmente se pauta no Nordeste, em que convivem o ciclo da cana-de-açúcar, os engenhos, a escravidão e o colégio dos jesuítas. Gregório de Matos Guerra, o Boca do Inferno, produz, exatamente neste contexto, uma poesia que se esforçava por tratar dos princípios barrocos e associá-los às contradições da realidade baiana.

Três são os grandes eixos temáticos dessa produção do poeta: o religioso (indo de poemas em que o eu lírico se assume como pecador e assume-se digno de perdão até poemas em que ele assume o pecado e exige o perdão, demonstrando o trabalho intenso com essa contradição barroca), o lírico (tratando da efemeridade da vida, da mulher como figura elevada, da mulher retratada como elevada e provocadora ao mesmo tempo, do sofrimento amoroso etc.), e o satírico (indo da crítica à sociedade baiana, passando pelo registro de costumes e pela tematização sobre a própria poesia satírica).

Didaticamente, 1601 é a data indicada como o início do Barroco no Brasil, com a publicação do poema épico *Prosopopeia*, de Bento Teixeira.

Essa escola literária é marcada por um período histórico de forte influência e instabilidade religiosa no mundo. A necessidade de expansão e de tentativa de manutenção da religião católica, devido à instabilidade que o protestantismo havia fomentado ao catolicismo, criou certo recrudescimento nas pregações católicas. Política e economicamente, Portugal e Brasil também vivem momentos difíceis. Todo esse cenário de instabilidade cria nos indivíduos uma sensação de dualidade.

O Barroco foi introduzido no Brasil por intermédio dos jesuítas, sendo que, no final do século XVI, era um movimento cujo objetivo centrava-se unicamente na catequização, com uma produção que buscava ensinar a religiosidade católica a uma população que vivia desregradamente, distante dos valores lusitanos, de acordo com a visão dos jesuítas. A ideia era fomentar ideais e costumes considerados moralizantes.

Tudo isso pautado em muito numa construção poética, no caso da literatura, seguindo os mesmo preceitos de produção literária europeus (valendo-se do cultismo e do conceptismo, por exemplo), já que a ideia de uma literatura nacional ainda não era existente, em especial porque não havia o que chamamos de público leitor e condições de circulação de textos. Em virtude disso, não falamos de literatura barroca brasileira propriamente dita, mas de autores brasileiros com características barrocas provenientes de fontes estrangeiras, tais como a espanhola e a portuguesa.

TOME NOTA

Gregório de Matos, falecido em 1696, foi sem dúvidas um dos mais irreverentes poetas satíricos no cenário da literatura nacional, pelo menos o primeiro deles. Essa característica, resultado de sua ousadia ao explorar uma linguagem informal repleta de gírias e expressões nativas, atacando costumes, forma de governo e figuras conhecidas, rendeu-lhe o apelido de "o Boca do Inferno", o que lhe trouxe também vários problemas na vida pessoal, inclusive sua saída de Portugal e retorno ao Brasil após acabar seus estudos em solo lusitano. Diante disso, fica a pergunta: você acredita que é função da poesia, da literatura, fazer crítica social, ou a arte deve limitar-se à questão estética?

QUESTÕES COMENTADAS

1. (Enem PPL 2018)

Quantos há que os telhados têm vidrosos
E deixam de atirar sua pedrada,
De sua mesma telha receiosos.

Adeus, praia, adeus, ribeira,
De regatões tabaquista,
Que vende gato por lebre
Querendo enganar a vista.

Nenhum modo de desculpa
Tendes, que valer-vos possa:
Que se o cão entra na igreja,
É porque acha aberta a porta.

GUERRA, G. M. In: LIMA, R. T. *Abecê de folclore*. São Paulo: Martins Fontes, 2003 (fragmento).

Ao organizar as informações, no processo de construção do texto, o autor estabelece sua intenção comunicativa. Nesse poema, Gregório de Matos explora os ditados populares com o objetivo de

A enumerar atitudes.

B descrever costumes.

C demonstrar sabedoria.

D recomendar precaução.

E criticar comportamentos.

Comentário: A alternativa correta é a **e.** O eu lírico cria seu poema a partir de intertextualidades com provérbios, os quais se tratam de sabedorias populares repassadas no senso comum. O uso desses provérbios servem para, por meio daquilo que é de conhecimento corrente, denunciarem comportamentos que os indivíduos possuem em sociedade, como a hipocrisia, a trapaça e a religiosidade falsa, respectivamente. Para ilustrar, a primeira estrofe é aberta com a intertextualidade com o provérbio: "Quem tem telhado de vidro não atira pedras ao do vizinho", aludindo ao fato de as pessoas até reconhecerem os males sociais, mas não os denunciarem ou por estarem envolvidos ou terem medo das consequências pessoais da denúncia.

2. (G1 - CFTMG 2018) Já desprezei, sou hoje desprezado,

Despojo sou, de quem triunfo hei sido,
E agora nos desdéns de aborrecido,
Desconto as ufanias de adorado.

O amor me incita a um perpétuo agrado,
O decoro me obriga a um justo olvido:
E não sei, no que emprendo, e no que lido,
Se triunfe o respeito, se o cuidado.

Porém vença o mais forte sentimento,
Perca o brio maior autoridade,
Que é menos o ludíbrio, que o tormento.

Quem quer, só do querer faça vaidade,
Que quem logra em amor entendimento,
Não tem outro capricho, que a vontade.

MATOS, Gregório de. *Poemas escolhidos de Gregório de Matos.* São Paulo: Companhia das Letras, 2010.

Em termos formais e temáticos, as principais características barrocas do soneto são, respectivamente,

A a sintaxe rebuscada e o culto aos contrastes.
B o rigor métrico e a crítica ao sentimentalismo.
C o vocabulário erudito e a reflexão sobre o amor.
D as rimas alternadas e o embate entre emoção e razão.

Comentário: A alternativa correta é a **a**. O período histórico e a escola literária Barroco ficaram conhecidos principalmente pelos contrastes. No soneto transcrito, a imagem poética construída baseia-se nos jogos de opostos: desprezar e ser desprezado, triunfo e desdém, vencer e perder, mais e menos, etc. Ademais, a as construções sintáticas bastante rebuscadas (inversões e orações intercaladas) marcam a forma de composição barroca.

TEXTO PARA A PRÓXIMA QUESTÃO:

Leia o soneto "Nasce o Sol, e não dura mais que um dia", do poeta Gregório de Matos (1636-1696), para responder à questão a seguir:

Nasce o Sol, e não dura mais que um dia,
Depois da Luz se segue a noite escura,
Em tristes sombras morre a formosura,
Em contínuas tristezas a alegria.

Porém, se acaba o Sol, por que nascia?
Se é tão formosa a Luz, por que não dura?
Como a beleza assim se transfigura?
Como o gosto da pena assim se fia?

Mas no Sol, e na Luz falte a firmeza,
Na formosura não se dê constância,
E na alegria sinta-se tristeza.

Começa o mundo enfim pela ignorância,
E tem qualquer dos bens por natureza
A firmeza somente na inconstância.

MATOS, Gregório de. *Poemas escolhidos de Gregório de Matos*. São Paulo: Companhia das Letras, 2010.

3. (Unesp 2018) O soneto de Gregório de Matos aproxima-se tematicamente da citação:

A "Nada é duradouro como a mudança." (Ludwig Börne, 1786-1837)

B "Não se deve indagar sobre tudo: é melhor que muitas coisas permaneçam ocultas." (Sófocles, 496-406 a.C.)

C "Nada é mais forte que o hábito." (Ovídio, 43 a.C.-17 d.C.)

D "A estrada do excesso conduz ao palácio da sabedoria." (William Blake, 1757-1827)

E "Todos julgam segundo a aparência, ninguém segundo a essência." (Friedrich Schiller, 1759-1805)

Comentário: O poema baseia-se na temática da inconstância das coisas do mundo, da mudança, temática já presente em Camões. A única alternativa cujo conteúdo da citação versa sobre esta temática é a **a**, que mostra a mudança o fator mais constante da existência.

TEXTO PARA AS PRÓXIMAS DUAS QUESTÕES:

À cidade da Bahia

Triste Bahia! Ó quão dessemelhante
Estás e estou do nosso antigo estado!
Pobre te vejo a ti, tu a mi empenhado,
Rica te vi eu já, tu a mi abundante.

A ti trocou-te a máquina mercante,
Que em tua larga barra tem entrado,
A mim foi-me trocando e tem trocado
Tanto negócio e tanto negociante.

Deste em dar tanto açúcar excelente
Pelas drogas inúteis, que abelhuda
Simples aceitas do sagaz Brichote.

Oh quisera Deus que de repente
Um dia amanheceras tão sisuda
Que fora de algodão o teu capote!

Matos, Gregório de. *Poemas escolhidos de Gregório de Matos*. São Paulo: Companhia das Letras, 2010.

4. (UFJF-PISM 3 2017) O poema de Gregório de Matos é uma crítica ao:

A renascimento cultural.
B mercantilismo.
C medievalismo.
D preconceito racial.
E aumento dos preços.

Comentário: A alternativa correta é a **b**. Em especial no segundo quarteto: "A ti trocou-te a máquina mercante, Que em tua larga barra tem entrado, A mim foi-me trocando e tem trocado/Tanto negócio e tanto negociante", fica evidente a crítica ao mercantilismo, doutrina econômica que tem o lucro e o interesse financeiro como metas a serem alcançadas.

5. (UFJF-PISM 3 2017) Em relação ao estilo barroco, qual figura de linguagem predomina no poema de Gregório de Matos:

A personificação.
B silepse.
C eufemismo.
D sinestesia.
E barbarismo.

Comentário: A alternativa correta é a **a**. A figura de linguagem que sustenta a construção do poema "À cidade da Bahia" é a personificação. O eu poético lamenta a situação em que se encontra a cidade, tratando-a como um ser animado: "Oh quisera Deus que de repente,/ um dia amanheceras tão sisuda,/ Que fora de algodão o teu capote!", com características humanas, séria e vestida com um capote de algodão, fazendo alusão à comercialização desse tecido o qual oferecia ao estado posição e vantagem econômica.

6. (UFPR 2016) O soneto "No fluxo e refluxo da maré encontra o poeta incentivo pra recordar seus males", de Gregório de Matos, apresenta características marcantes do poeta e do período em que ele o escreveu:

Seis horas enche e outras tantas vaza
A maré pelas margens do Oceano,
E não larga a tarefa um ponto no ano,
Depois que o mar rodeia, o sol abrasa.
Desde a esfera primeira opaca, ou rasa
A Lua com impulso soberano
Engole o mar por um secreto cano,
E quando o mar vomita, o mundo arrasa.

Muda-se o tempo, e suas temperanças.
Até o céu se muda, a terra, os mares,
E tudo está sujeito a mil mudanças.

Só eu, que todo o fim de meus pesares
Eram de algum minguante as esperanças,
Nunca o minguante vi de meus azares.

De acordo com o poema, é correto afirmar:

A A temática barroca do desconcerto do mundo está representada no poema, uma vez que as coisas do mundo estão em desarmonia entre si.
B A transitoriedade das coisas terrenas está em oposição ao caráter imutável do sujeito, submetido a uma concepção fatalista do destino humano.
C A concepção de um mundo às avessas está figurada no soneto através da clara oposição entre o mar que tudo move e a lua imutável.
D A clareza empregada para exposição do tema reforça o ideal de simplicidade e bucolismo da poesia barroca, cujo lema fundamental era a *aurea mediocritas*.
E A sintonia entre a natureza e o eu poético embasa as personificações de objetos inanimados aliadas às hipérboles que descrevem o sujeito.

Comentário: A alternativa correta é a **b**. No poema fica clara a desarmonia entre o eu lírico e as coisas do mundo (estas, por sua vez, estão em harmonia em sua mutabilidade, o que invalida as alternativas **a** e **c**). "Muda-se o tempo, e suas temperanças. / Até o céu se muda, a terra, os mares, / E tudo está sujeito a mil mudanças." está em oposição ao caráter imutável do sujeito: "Só eu, que todo o fim de meus pesares / Eram de algum minguante as esperanças, / Nunca o minguante vi de meus azares.", ou seja, tudo no mundo muda, exceto a má sorte do eu lírico, afirmação que invalida a alternativa **e**. Quanto à **d**, o poema não se vale da simplicidade de raciocínio e de construção, já que possui uma estrutura rebuscada tal qual os poemas barrocos.

7. (UFU 2016)

TEXTO I

CASUAL ENCONTRO QUE TEVE O POETA COM BRITES NO SEU RETIRO DE UMA ROÇA

Fui ver a fonte da roça,
e quando a mais gente vai
a refrescar-se na fonte,
eu me fui nela abrasar.
Dentro da fonte achei Brites,
que ali se foi a banhar
(...)
Convidou-me, a que bebesse
a neve do manancial,
e se a neve assim me abrasa,
o incêndio que fará.
Bebi, e não matei a sede,
porque no inferno de amar
fui Tântalo, cuja pena
o beber acende mais.
Queira Amor, Brites ingrata,
que essa fonte, esse cristal
não seja o vosso perigo,
em que Narciso morrais.

MATOS, Gregório de. *Crônica do viver baiano seiscentista*: vol. 2. Rio de Janeiro: Editora Record, 1999. p. 704-705.

TEXTO II

NARCISO (II)

Folhas incandescentes fizeram da fonte
vales de fulgores. Bebia Narciso sobre a onda
quando uma face viu de tal beleza
que a luz mais viva se tornou.
E Amor – cujas setas jamais puderam alcançar
seu coração esquivo – nele reinou e jamais do jovem
se apartava, que a seu chamado às águas acorria.
Insidiosa veio a Morte para o levar consigo,
deixando numa flor a forma de Narciso.

SILVA, Dora Ferreira da. *Hídrias*. São Paulo: Odysseus, 2004. p. 39.

Com base nos textos, faça o que se pede.

A Analise os efeitos do amor retratados nos dois poemas. Justifique com elementos dos textos.

B Aponte dois recursos expressivos da linguagem de cada poema, exemplificando-os com passagens dos próprios poemas.

Respostas da questão 7:

a) Em ambos os poemas, o Amor é personificado em Cupido, deus do Amor. No texto de Gregório de Matos, o sentimento aparece de maneira terrena e conflituosa, já que o eu lírico demonstra desejo por Brites "Dentro da fonte achei Brites,/ que ali se foi a banhar (...) / Convidou-me, a que bebesse / a neve do manancial, / e se a neve assim me abrasa, / o incêndio que fará", mas fica evidente a impossibilidade de concretizar na comparação com Tântalo, figura da mitologia grega cuja punição é nunca poder se saciar: "fui Tântalo, cuja pena / o beber acende mais". No que concerne ao poema de Dora Ferreira da Silva, o Amor surge idealizado ao se mencionar o mito de Narciso: o amor que o jovem possui por si é tão forte que não pode ser rompido, sendo a morte seu único fim possível: "E Amor – cujas setas jamais puderam alcançar / seu coração esquivo – nele reinou e jamais do jovem / se apartava, que a seu chamado às águas acorria".

b) No texto I, barroco, pode-se destacar a ocorrência de duas figuras caras a essa escola: o paradoxo ("e se a neve assim me abrasa") e o hipérbato ("Dentro da fonte achei Brites, / que ali se foi a banhar"), a primeira, figura de pensamento em que há a aproximação de ideias contraditórias inconciliáveis, e a segunda, figura de sintaxe em que há a inversão da ordem direta da frase. Já no texto II, há prosopopeia e a aliteração: ("Folhas incandescentes fizeram da fonte / vales de fulgores"), sendo a primeira uma figura de pensamento de atribuição de características animadas a seres inanimados, e a segunda a repetição de sons consonantais, no caso do trecho transcrito, a repetição do som /f/.

8. (IMED 2016) Leia o texto abaixo, de Gregório de Matos Guerra:

A MARIA DE POVOS, SUA FUTURA ESPOSA

Discreta e formosíssima Maria,
Enquanto estamos vendo a qualquer hora,
Em tuas faces a rosada Aurora,
Em teus olhos e boca, o Sol e o dia:
Enquanto, com gentil descortesia,
O ar, que fresco Adônis te enamora,
Te espalha a rica trança voadora,
Da madeixa que mais primor te envia:

Goza, goza da flor da mocidade,
Que o tempo troca, a toda a ligeireza,
E imprime em cada flor uma pisada.

Oh não guardes que a madura idade

Te converta essa flor, essa beleza,
Em terra, em cinza, em pó, em sombra, em nada.

Analise as assertivas abaixo a partir do texto:

I. O soneto lírico se estrutura na oposição entre dois campos semânticos, que pode ser evidenciado, especialmente, na comparação entre a primeira a última estrofes.
II. Em tal soneto, percebe-se o tema do *carpe diem*, proveniente dos clássicos grecolatinos, que converge com a preocupação do homem barroco brasileiro em relação à efemeridade da vida e à repulsa pela morte.
III. O autor do soneto, Gregório de Matos Guerra, cultivou a poesia sacra, lírica e satírica. Também escreveu poemas graciosos e pornográficos. Representante do período barroco, também foi conhecido como "Boca de Inferno".

Quais estão corretas?

A Apenas I.
B Apenas III.
C Apenas I e II.
D Apenas II e III.
E I, II e III.

Comentário: A alternativa correta é a **e**. A afirmação I está correta, porque o conflito é um recurso típico da poesia barroca, e, no poema transcrito, na 1ª estrofe, Maria aparece no auge de sua beleza e juventude; já na última, sua beleza acabou. Correta também é a afirmação II, pois em: "Goza, goza da flor da mocidade", fica evidente o *carpe diem* no convite do eu lírico para Maria aproveitar a vida antes que ela finde. Por fim, a afirmação III também é verdadeira, já que Gregório de Matos Guerra tornou-se o principal autor do Barroco brasileiro e cuja obra centra-se tanto na poesia lírica (amorosa, filosófica e religiosa) quanto na satírica (de teor crítico ou pornográfico), sendo a última a responsável pela alcunha a ele atribuída.

9. (UPF 2016)

Que falta nesta cidade?... Verdade.
Que mais por sua desonra?... Honra.
Falta mais que se lhe ponha?... Vergonha.

O demo a viver se exponha,
Por mais que a fama a exalta,
Numa cidade onde falta
Verdade, honra, vergonha.

Os versos transcritos expõem a faceta __________ da obra de Gregório de Matos, que é considerado o maior poeta barroco brasileiro. Outras facetas importantes, na produção do mesmo autor, são as da poesia __________ e da poesia __________.

Assinale a alternativa cujas informações preenchem **corretamente** as lacunas do enunciado.

A satírica – nacionalista – indianista.
B moralista – bucólica – pastoril.
C social – abolicionista – anticlerical.
D satírica – religiosa – amorosa.
E moralista – egotista – sentimental.

Comentário: A alternativa correta é a **d.** O trecho transcrito ilustra bem a crítica social satírica de Gregório de Matos, ácida e combativa, contra os comportamentos, julgados ruins por ele, da sociedade e do governo baianos. As temáticas religiosa e amorosa também estão presentes na poesia atribuída ao poeta.

10. (UPE-SSA 1 2016) Gregório de Matos, poeta baiano, que viveu no século XVI, produziu uma poesia em que satiriza a sociedade de seu tempo. Execrado no passado por seus conterrâneos, hoje é reconhecido como grande poeta, sendo, inclusive, sua poesia satírica fonte de pesquisa histórica.

Leia os poemas e analise as proposições a seguir:

Poema I

Triste Bahia! Oh quão dessemelhante
Estás, e estou do nosso antigo estado!
Pobre te vejo a ti, tu a mi empenhado,
Rica te vejo eu já, tu a mi abundante.
A ti tocou-te a máquina mercante,
Que em tua larga barra tem entrado,
A mim foi-me trocando, e tem trocado
Tanto negócio, e tanto negociante.

Deste em dar tanto açúcar excelente
Pelas drogas inúteis, que abelhuda
Simples aceitas do sagaz Brichote.

Oh se quisera Deus, que de repente
Um dia amanheceras tão sisuda
Que fora de algodão o teu capote

(Gregório de Matos)

Poema II

Horas contando, numerando instantes,
Os sentidos à dor, e à glória atentos,
Cuidados cobro, acuso pensamentos,
Ligeiros à esperança, ao mal constantes.

Quem partes concordou tão dissonantes?
Quem sustentou tão vários sentimentos?
Pois para a glória excedem de tormentos,
Para martírio ao bem são semelhantes.

O prazer com a pena se embaraça;
Porém quando um com outro mais porfia,
O gosto corre, a dor apenas passa.

Vai ao tempo alterando a fantesia,
Mas sempre com vantagem na desgraça,
Horas de inferno, instantes de alegria.

(Gregório de Matos)

I. Além de poeta satírico, o Boca do Inferno também cultivou a poesia lírica, composta por temas diversificados, pois nos legou uma lírica amorosa, erótica e religiosa e até de reflexão sobre o sofrimento, a exemplo do poema II.

II. Considerado tanto poeta cultista quanto conceptista, o autor baiano revela criatividade e capacidade de improvisar, segundo comprovam os versos do poema I, em que realiza a crítica à situação econômica da Bahia, dirigida, na época, por Antônio Luís da Câmara Coutinho.

III. Em *Triste Bahia*, poema I, musicado por Caetano Veloso, Gregório de Matos identifica-se com a cidade, ao relacionar a situação de decadência em que se encontram tanto ele quanto a cidade onde vive. O poema abandona o tom de zombaria, atenuando a sátira contundente para tornar-se um quase lamento.

IV. Os dois poemas são sonetos, forma fixa herdada do Classicismo, muito pouco utilizada pelo poeta baiano, que desprezou a métrica rígida e criou poesia em versos brancos e livres.

V. Como poeta barroco, fez uso consciente dos recursos estéticos reveladores do conflito do homem da época, como se faz presente na antítese que encerra o II poema: "Horas de inferno, instantes de alegria".

Estão **CORRETAS** apenas

A I, II, III e V.

B I, II e IV.

C IV e V.

D I, III e IV.

E I, IV e V.

Comentário: A alternativa correta é a **a**. A afirmação IV é a única que está incorreta porque, embora ambos os poemas sejam sonetos, com forma fixa, modelo bastante adotado pelo poeta, quando o tema tratado não era tão grave, optava-se por redondilhas. As afirmações I, II, III e V estão corretas. No que concerne à I, pode-se afirmar que muitos foram os poemas atribuídos a Gregório, abarcando temas variados. O Poema I é satírico, com uma crítica ao governo baiano; e o Poema II, lírico. Quanto à II, está correta porque os poemas atribuídos a Gregório valem-se do estilo cultista (ênfase nos recursos da linguagem) e do conceptista (ênfase na lógica argumentativa). Ademais, em *Triste Bahia*, há uma crítica clara à maneira como o Estado tem sido governado: "Deste em dar tanto açúcar excelente / Pelas drogas inúteis, que abelhuda / Simples aceitas do sagaz Brichote".

Já a III está correta, uma vez que o eu lírico claramente se identifica e se iguala à situação da Bahia desde os primeiros versos, indicando que ambos estão bem diferentes do que já foram: "Triste Bahia! Oh quão dessemelhante / Estás, e estou do nosso antigo estado!". Além disso, ao fim, há um tom triste, e não mais de zombaria, ao constatar a decadência do Estado: "Oh se quisera Deus, que de repente / Um dia amanheceras tão sisuda / Que fora de algodão o teu capote". Por fim, a V também está correta, pois a antítese (aproximação de ideias opostas, sem excluírem-se) é característica marcante da poesia no Barroco, sendo exatamente o que ocorre nos pares horas x instantes; inferno x alegria.